Start

3

와츠
What's
Grammar

WORKBOOK

UNIT 1 인칭대명사 (주격/목적격)

◑ 다음 밑줄 친 부분을 대신해서 쓸 수 있는 대명사를 고르세요.

01 I know <u>the boy</u>. ☐ he ☑ him ☐ it

02 <u>The tiger</u> runs fast. ☐ It ☐ We ☐ They

03 <u>Suji and Alex</u> are friends. ☐ He ☐ Them ☐ They

04 We like <u>the man</u>. ☐ he ☐ they ☐ him

05 <u>My parents</u> miss her. ☐ They ☐ It ☐ We

06 Nick likes <u>his friends</u>. ☐ they ☐ them ☐ us

07 <u>Mr. David</u> teaches English. ☐ He ☐ Him ☐ She

08 Paul and I love <u>soccer</u>. ☐ us ☐ it ☐ they

09 Mark likes <u>the books</u>. ☐ they ☐ them ☐ it

10 <u>Mia</u> studies math. ☐ It ☐ They ☐ She

11 My grandma loves <u>the flower</u>. ☐ them ☐ you ☐ it

12 She remembers <u>you and Jin</u>. ☐ you ☐ her ☐ they

13 <u>The men</u> have nice cars. ☐ He ☐ They ☐ It

14 <u>Sam and I</u> go to school. ☐ Us ☐ You ☐ We

15 We visit <u>our grandmother</u>. ☐ them ☐ she ☐ her

◖ 다음 주어진 단어를 빈칸에 알맞은 형태로 바꿔 쓰세요.

01 I don't know _____<u>his</u>_____ address. (he)
나는 그의 주소를 모른다.

02 I like _____,_____ cap. (you)
나는 네 야구모자가 마음에 든다.

03 Those are _____ erasers. The erasers are _____. (she)
저것들은 그녀의 지우개들이다. 그 지우개들은 그녀의 것이다.

04 It is _____ notebook. The notebook is _____. (he)
그것은 그의 공책이다. 그 공책은 그의 것이다.

05 Mr. Johnson is _____ English teacher. (we)
존슨 씨는 우리의 영어 선생님이다.

06 Tom and Jane like _____ songs. (they)
톰과 제인은 그들의 노래를 좋아한다.

07 The girl washes _____ face every day. (she)
그 여자아이는 매일 세수를 한다.

08 They are _____ pants. The pants are _____. (he)
그것은 그의 바지이다. 그 바지는 그의 것이다.

09 Nick and Tim are _____ brothers. (I)
닉과 팀은 내 형들이다.

10 _____ has a long tail. _____ tail is long. (it)
그것은 긴 꼬리를 가지고 있다. 그것의 꼬리는 길다.

● 우리말에 맞게 보기의 단어를 이용하여 문장을 완성하세요.

보기	this	that	these	those

01 이것은 학교이다. → ___This___ ___is___ a school.

02 이것은 그녀의 책상이다. → _____ her desk.

03 저것은 내 고양이다. → _____ my cat.

04 이 사람들은 비행기 조종사들이다. → _____ _____ pilots.

05 저것들은 악어들이다. → _____ alligators.

06 이것들은 그의 바지이다. → _____ his pants.

07 저 아이는 내 남동생이다. → _____ my brother.

08 이 사람은 케이트이다. → _____ Kate.

09 저 사람들은 소방관들이다. → _____ _____ firefighters.

10 저분은 내 엄마이시다. → _____ my mom.

11 이것들은 내 양말이다. → _____ my socks.

12 이것은 그녀의 연필이다. → _____ her pencil.

13 저것들은 그들의 재킷들이다. → _____ their jackets.

14 저것은 그의 우산이다. → _____ his umbrella.

15 저 사람들은 학생들이다. → _____ students.

우리말에 맞게 알맞은 단어를 넣고, 전체 문장을 쓰세요.

01 그 남자아이는 그녀를 좋아한다.

| The boy | likes | *her* | . |

→ *The boy likes her.*

02 우리는 차를 가지고 있다.

| have | a car | . |

→ _____

03 그 책은 너의 것이다.

| The book | is | . |

→ _____

04 그의 컴퓨터는 새것이다.

| computer | is | new | . |

→ _____

05 이것은 네 포크이다.

| is | your | fork | . |

→ _____

06 이 사람들은 내 언니들이다.

| are | my | sisters | . |

→ _____

UNIT 1 be동사 현재형 긍정문/부정문/의문문

◗ 다음 문장을 지시대로 바꿔 쓰세요.

01 He is a student. 그는 학생이다.

→ 부정문 ⸻ He is not a student. ⸻

02 She is in the classroom. 그녀는 교실 안에 있다.

→ 의문문 ⸻

03 My mom is a doctor. 나의 엄마는 의사이시다.

→ 부정문 ⸻

04 Kevin and Lizzy are tall. 케빈과 리지는 키가 크다.

→ 의문문 ⸻

05 The girls are smart. 그 여자아이들은 똑똑하다.

→ 의문문 ⸻

06 Tom and his brother are nurses. 톰과 그의 형은 간호사이다.

→ 부정문 ⸻

07 The coffee is hot. 그 커피는 뜨겁다.

→ 의문문 ⸻

08 Justin is a police officer. 저스틴은 경찰관이다.

→ 부정문 ⸻

09 The bears are brown. 그 곰들은 갈색이다.

→ 의문문 ⸻

다음 주어진 동사를 빈칸에 알맞은 형태로 쓰세요.

01 cry 울다 → The baby ___cries___ at night.

02 have 가지고 있다, 있다 → Sam _____ homework.

03 play (운동을) 하다 → The girls _____ basketball after school.

04 drive 운전하다 → Ms. Mary _____ to work.

05 watch 보다 → Nancy _____ TV every day.

06 fly 날다 → The balloon _____ in the sky.

07 write 쓰다 → They _____ Christmas cards.

08 catch 잡다 → The dog _____ the ball.

09 go 가다 → The children _____ to the museum.

10 live 살다 → My cousin _____ in Canada.

11 fix 고치다 → Mr. White _____ his bike.

12 wash 씻다 → My dad _____ the dishes every day.

13 clean 청소하다 → The students _____ the classroom.

14 study 공부하다 → Liam and Emma _____ Korean every day.

15 get up 일어나다 → My brother and I _____ _____ at 6 o'clock.

◗ 우리말에 맞게 주어진 단어를 이용하여 빈칸을 완성하세요.

01   The shop ___doesn't___ ___open___ on Tuesday. (open)
그 가게는 화요일에 열지 않는다.

02   _____ Mary and Ellen _____ pizza? (like)
메리와 엘렌은 피자를 좋아하니?

03   _____ he _____ bananas? (eat)
그는 바나나를 먹니?

04   She _____ _____ in Seoul. (live)
그녀는 서울에 살지 않는다.

05   _____ they _____ to school? (walk)
그들은 걸어서 학교에 가니?

06   My brothers _____ _____ _____ early. (get up)
내 남동생들은 일찍 일어나지 않는다.

07   John _____ _____ Korean. (speak)
존은 한국어를 하지 않는다.

08   _____ your dad _____ at a hospital? (work)
네 아빠는 병원에서 일하시니?

09   Sue _____ _____ math. (study)
수는 수학을 공부하지 않는다.

10   _____ you _____ your teeth every day? (brush)
너는 매일 이를 닦니?

● 우리말에 맞게 알맞은 것을 고르고, 전체 문장을 쓰세요.

01 그는 선생님이니?

(Is) / Are | he | | a teacher | | ? |

→ _____ Is he a teacher? _____

02 그 바지는 내 것이 아니다.

| The pants | aren't / isn't | mine | .

→ _____

03 그는 12시에 점심을 먹는다.

| He | have / has | lunch | | at 12 | .

→ _____

04 Mike(마이크)는 세수를 한다.

| Mike | washs / washes | his face | .

→ _____

05 그는 고양이를 좋아하니?

Does / Do | he | like / likes | cats | | ? |

→ _____

06 내 여동생은 프랑스어를 하지 않는다.

| My sister | don't / doesn't | speak | | French | .

→ _____

CHAPTER **3** 현재진행형

UNIT 1 현재진행형의 긍정문

◑ 우리말에 맞게 주어진 단어를 이용하여 문장을 완성하세요.

01 그 여자아이는 공원에 가고 있다.

→ The girl _____is_____ _____going_____ to the park. (go)

02 Katie(케이티)는 지금 미소 짓고 있다.

→ Katie _____ _____ now. (smile)

03 그 고양이는 자고 있다.

→ The cat _____ _____. (sleep)

04 Sue(수)와 Jenny(제니)는 수영하고 있다.

→ Sue and Jenny _____ _____. (swim)

05 그 개는 잔디 위를 달리고 있다.

→ The dog _____ _____ on the grass. (run)

06 나의 부모님은 산책하고 계신다.

→ My parents _____ _____ a walk. (take)

07 나는 지금 쿠키를 먹고 있다.

→ I _____ _____ cookies now. (eat)

08 Clara(클라라)는 신문을 읽고 있다.

→ Clara _____ _____ a newspaper. (read)

09 나의 할아버지는 의자에 앉아 계신다.

→ My grandfather _____ _____ on a chair. (sit)

10 Chris(크리스)와 나는 숙제를 하고 있다.

→ Chris and I _____ _____ our homework. (do)

● 다음 문장을 지시대로 바꿔 쓰세요.

01 She is cooking pasta. 그녀는 파스타를 요리하고 있다.

→ 　부정문　She ____isn't____ ____cooking____ pasta.

02 They are reading comic books. 그들은 만화책을 읽고 있다.

→ 　의문문　_____ _____ _____ comic books?

03 Thomas is having breakfast. 토마스는 아침을 먹고 있다.

→ 　의문문　_____ _____ _____ breakfast?

04 You are swimming in the sea. 너는 바다에서 수영하고 있다.

→ 　부정문　You _____ _____ in the sea.

05 He is helping his grandma. 그는 그의 할머니를 도와드리고 있다.

→ 　의문문　_____ _____ _____ his grandma?

06 My mom is making a pie. 나의 엄마는 파이를 만들고 계신다.

→ 　부정문　My mom _____ _____ a pie.

07 They are ordering pizza. 그들은 피자를 주문하고 있다.

→ 　의문문　_____ _____ _____ pizza?

08 Lilly is wearing jeans. 릴리는 청바지를 입고 있다.

→ 　부정문　Lilly _____ _____ jeans.

09 I am cleaning my room. 나는 내 방을 청소하고 있다.

→ 　부정문　_____ _____ _____ my room.

10 Kate is moving the sofa. 케이트는 그 소파를 옮기고 있다.

→ 　의문문　_____ _____ _____ the sofa?

Grammar in Sentences

우리말에 맞게 알맞은 것을 고르고, 전체 문장을 쓰세요.

01 그는 길을 건너고 있다.

He's | (crossing) / cross | the street .

→ He's crossing the street.

02 그 여자아이는 잔디를 깎고 있다.

The girl | is | cuting / cutting | the grass .

→ _____

03 그녀는 샤워하고 있지 않다.

She | isn't / aren't | taking | a shower .

→ _____

04 그 남자는 연필을 쓰고 있니?

Is / Are | the man | using / useing | a pencil | ?

→ _____

05 그들은 세차하고 있니?

Is / Are | they | wash / washing | their car | ?

→ _____

06 John(존)과 Emily(에밀리)는 서울에 머물고 있지 않다.

John and Emily | are | staying not / not staying | in Seoul .

→ _____

UNIT 1 기수와 서수

◖ 우리말에 맞게 (   ) 안에서 알맞은 것을 고르고, 빈칸에 쓰세요.

01 It is March (one / (first)) today. 오늘은 3월 1일이다.

→ It is March _____first_____ today.

02 We live on (two / the second) floor. 우리는 2층에 산다.

→ We live on _____ _____ floor.

03 I have (four / fourth) oranges. 나는 오렌지 네 개를 가지고 있다.

→ I have _____ oranges.

04 She is in the (fiveth / fifth) grade. 그녀는 5학년이다.

→ She is in the _____ grade.

05 (Two / Second) knives are on the table. 칼 두 개가 테이블 위에 있다.

→ _____ knives are on the table.

06 This is his (eight / eighth) book. 이것은 그의 여덟 번째 책이다.

→ This is his _____ book.

07 My dad has (three / third) cars. 나의 아빠는 차 세 대를 가지고 계신다.

→ My dad has _____ cars.

08 Clara is (nine / ninth) years old. 클라라는 아홉 살이다.

→ Clara is _____ years old.

09 Thursday is (four / the fourth) day of the week. 목요일은 일주일 중 네 번째 날이다.

→ Thursday is _____ _____ day of the week.

10 He has (twenty-two / twenty-second) dollars. 그는 22달러를 가지고 있다.

→ He has _____ dollars.

● 다음 밑줄 친 부분이 맞으면 O, 틀리면 X하고, 바르게 고쳐 쓰세요.

01 My birthday is <u>second August</u>.   →   X, August second

내 생일은 8월 2일이다.

02 It's six <u>forty</u> a.m.   →

오전 6시 40분이다.

03 Today is July <u>three</u>.   →

오늘은 7월 3일이다.

04 Nick is <u>thirteenth</u> years old.   →

닉은 13살이다.

05 My brother has <u>twenty-eight</u> dollars.   →

내 남동생은 28달러를 가지고 있다.

06 It's half past <u>four</u>.   →

3시 30분이다.

07 Jessica is seventeen <u>year</u> old.   →

제시카는 17살이다.

08 The number is <u>four hundred eighty-five</u>.   →

그 숫자는 485이다.

09 He has lunch at <u>first</u> o'clock.   →

그는 1시 정각에 점심을 먹는다.

10 The ticket is twenty <u>dollar</u>.   →

그 티켓은 20달러이다.

다음 빈칸에 알맞은 말을 쓰고, (   ) 안에서 알맞은 것을 고르세요.

01 Q How is the weather?

A _____It_____ is ((hot) / Monday) today.

02 Q What time is it?

A _____ is (April 6th / nine thirty).

03 Q What day is it?

A _____ is (Friday / two o'clock).

04 Q What's the date today?

A _____ is (Tuesday / May 7th).

05 Q How far is it?

A _____ is (10 km / snowy).

06 Q What's the weather like?

A _____ is (cold / 10 o'clock).

07 Q What day is it today?

A _____ is (cloudy / Monday).

08 Q What time is it now?

A _____ is (Tuesday / half past one).

09 Q What's the weather like outside?

A _____ is (warm / Sunday).

10 Q What's the date?

A _____ is (twenty-two / July 23rd).

Grammar in Sentences

우리말에 맞게 알맞은 단어를 넣고, 전체 문장을 쓰세요.

01 학교에 가깝다.

It 〔 is 〕〔 close 〕〔 to the school 〕.

→ It is close to the school.

02 지금 몇 시예요?

〔 What time 〕〔 is 〕 〔 now 〕〔 ? 〕

→ _____

03 토요일이다.

〔 is 〕〔 Saturday 〕.

→ _____

04 그들은 1학년이다.

〔 They 〕〔 are 〕〔 in 〕〔 the 〕 〔 grade 〕.

→ _____

05 저것은 그녀의 두 번째 영화이다.

〔 That 〕〔 is 〕〔 her 〕 〔 movie 〕.

→ _____

06 그는 열다섯 살이다.

〔 He 〕〔 is 〕 〔 years 〕〔 old 〕.

→ _____

UNIT 1 의문사 + be동사 의문문

◦ 다음 ( ) 안에서 알맞은 것을 고르고, 빈칸에 알맞은 be동사를 쓰세요.

01 Q (Where / When) _____is_____ the cup?
   A It's on the desk.

02 Q (What / Who) _____ the girls?
   A They're my cousins.

03 Q (What / How) _____ your favorite color?
   A It is white.

04 Q (What / How) _____ the weather?
   A It's cloudy.

05 Q (Where / When) _____ your birthday?
   A It's July 14th.

06 Q (What / How) _____ you doing?
   A I'm riding a bike.

07 Q (What / Where) _____ the park?
   A It's near the school.

08 Q (What / When) _____ they making?
   A They are making cookies.

09 Q (Where / When) _____ his birthday?
   A It's May 8th.

10 Q (Where / What) _____ Kate?
   A She's at school.

◗ 우리말에 맞게 빈칸에 알맞은 의문사를 쓰고, ( ) 안에서 알맞은 것을 고르세요.

01   _____What_____ (is /(does)) Sally want?

너는 무엇을 원하니?

샐리는 무엇을 원하니?

02   _____ (do / does) you do on Sundays?

너는 일요일마다 무엇을 하니?

03   _____ does she (leave / leaves)?

그녀는 언제 떠나니?

04   _____ (does / do) Mina live?

미나는 어디에 사니?

05   _____ does Irene (like / likes)?

아이린은 무엇을 좋아하니?

06   _____ (do / are) they play soccer?

그들은 어디에서 축구를 하니?

07   _____ (do / does) he eat for breakfast?

그는 아침으로 무엇을 먹니?

08   _____ (does / are) the story end?

그 이야기는 어떻게 끝나니?

09   _____ (do / does) the class start?

그 수업은 언제 시작하니?

10   _____ does your brother (go / goes) to school?

네 형은 학교에 어떻게 가니?

◖ 다음 (   ) 안에서 알맞은 것을 고르세요.

01   Q (How / What) much are they?
A They're 48 dollars.

02   Q (What day / What time) do you go to work?
A I go to work at 7:00 a.m.

03   Q (What / Whose) pencil is this?
A It's Jessica's.

04   Q (What / How) (old / grade) are you?
A I'm eleven years old.

05   Q (How / What) (day / time) is it today?
A It's Tuesday.

06   Q (How old / How much) is it?
A It's 200 dollars.

07   Q (Whose / What) umbrella is it?
A It's his.

08   Q (How / What) (day / grade) is Taylor in?
A He's in the fourth grade.

09   Q (How / What) (much / old) is the bicycle?
A It's 100 dollars.

10   Q (How / What) (color / much) is your notebook?
A It's green.

Grammar in Sentences

우리말에 맞게 알맞은 단어를 넣고, 전체 문장을 쓰세요.

01 그들은 어떻게 지내니?

How are [they] [?]

→ How are they?

02 그 학교는 어디에 있니?

[the school] [?]

→ _____

03 네 여동생은 무엇을 하고 있니?

[your] [sister] [doing] [?]

→ _____

04 너는 무엇을 좋아하니?

[you] [like] [?]

→ _____

05 이것은 누구의 책이니?

[book] [is] [this] [?]

→ _____

06 이 목걸이는 얼마인가요?

[is] [this] [necklace] [?]

→ _____

UNIT 1 형용사

◖ 다음 빈칸에 알맞은 말을 넣어 문장을 완성하세요.

01 The skirt is short. 그 치마는 짧다.

➔ It is a ___short___ ___skirt___ .

02 It is a good movie. 그것은 좋은 영화이다.

➔ The movie _____ _____ .

03 The man is strong. 그 남자는 힘이 세다.

➔ He is a _____ _____ .

04 The snack is sweet. 그 간식은 달콤하다.

➔ It is a _____ _____ .

05 The trees are big. 그 나무들은 커다랗다.

➔ They are _____ _____ .

06 They are old cars. 그것들은 낡은 자동차들이다.

➔ The cars _____ _____ .

07 She is a famous actress. 그녀는 유명한 배우이다.

➔ The actress _____ _____ .

08 The milk is cold. 그 우유는 차갑다.

➔ It is _____ _____ .

09 The question is easy. 그 문제는 쉽다.

➔ It is an _____ _____ .

10 They are beautiful roses. 그것들은 아름다운 장미들이다.

➔ The roses _____ _____ .

● 다음 ( ) 안에서 알맞은 것을 고르세요.

01 My sister goes to bed (late / lately).
내 여동생은 늦게 잠자리에 든다.

02 Jim sings the song (perfectly / perfect).
짐은 그 노래를 완벽하게 부른다.

03 Her voice is too (loud / loudly).
그녀의 목소리는 너무 크다.

04 Snails are very (slow / slowly).
달팽이는 매우 느리다.

05 Cheetahs run (fastly / fast).
치타는 빠르게 달린다.

06 Mary studies (hardly / hard).
메리는 열심히 공부한다.

07 Kate can climb trees (easy / easily).
케이트는 나무를 쉽게 오를 수 있다.

08 The girl is very (smart / smartly).
그 여자아이는 매우 똑똑하다.

09 The bird flies (highly / high) in the sky.
그 새는 하늘 높이 난다.

10 The children are playing (happyly / happily).
그 아이들은 행복하게 놀고 있다.

11 My brother drives (carefully / careful).
내 형은 조심스럽게 운전한다.

12 Mr. Jackson dances (well / good).
잭슨 씨는 춤을 잘 춘다.

13 My teacher is really (quiet / quietly).
내 선생님은 정말 조용하시다.

14 He exercises (earlily / early) in the morning.
그는 아침 일찍 운동을 한다.

15 The weather is very (cold / coldly).
날씨가 매우 춥다.

우리말에 맞게 알맞은 것을 고르고, 전체 문장을 써보세요.

01 그것은 오래된 이야기이다.

It | is | an | (old) / new | story .

→ It is an old story.

02 내 남동생은 많은 돈이 없다.

My brother | doesn't have | many / much | money .

→ _____

03 이것들은 어려운 퍼즐이다.

These | are | difficult puzzles / puzzles difficult .

→ _____

04 Angela(안젤라)는 노래를 잘 부른다.

Angela | sings | good / well .

→ _____

05 그 로봇은 네 방을 빠르게 청소한다.

The robot | cleans | your room | fastly / fast .

→ _____

06 그 아기는 조용히 잠을 자고 있다.

The baby | is | sleeping | quiet / quietly .

→ _____

UNIT 1 장소를 나타내는 전치사

◖ 우리말에 맞게 보기에서 알맞은 것을 골라 빈칸을 완성하세요.

| 보기 | on   at   in   under   behind   between   next to   in front of |

01 침대 위에 → _____on_____ the bed

02 가게 앞에 → _____ the store

03 병원 옆에 → _____ the hospital

04 다리 아래에 → _____ the bridge

05 버스 정류장에서 → _____ the bus stop

06 책상 위에 → _____ the desk

07 건물 뒤에 → _____ the building

08 의자와 책상 사이에 → _____ the chair and the desk

09 교실 안에 → _____ the classroom

10 지붕 위에 → _____ the roof

11 그녀 옆에 → _____ her

12 침대 아래에 → _____ the bed

13 TV 앞에 → _____ the TV

14 학교와 공원 사이에 → _____ the school and the park

15 한국에 → _____ Korea

다음 (   ) 안에서 알맞은 것을 고르세요.

01 (at / on / in) 12 o'clock   12시 정각에

02 (at / on / in) July 14th   7월 14일에

03 (at / on / in) May   5월에

04 (at / on / in) Saturday   토요일에

05 (at / on / in) the evening   저녁에

06 (at / on / in) 2028   2028년에

07 (at / on / in) 4 p.m.   오후 4시에

08 (at / on / in) October 18th   10월 18일에

09 (at / on / in) the morning   아침에

10 (at / on / in) Christmas Day   크리스마스 날에

11 (at / on / in) noon   정오(낮 12시)에

12 (at / on / in) summer   여름에

13 (at / on / in) Parents' Day   어버이날에

14 (at / on / in) Mondays   월요일마다

15 (at / on / in) January   1월에

16 (at / on / in) the afternoon   오후에

우리말에 맞게 알맞은 전치사를 넣고, 전체 문장을 다시 쓰세요.

01 그 여자아이는 문 앞에 있다.

| The girl | is | in front of | the door | .

→ The girl is in front of the door.

02 어린이날은 5월에 있다.

| Children's Day | is | May | .

→ _____

03 Paul(폴)은 길 위에 서 있다.

| Paul | is standing | the street | .

→ _____

04 그의 집은 은행과 병원 사이에 있다.

| His house | is | the bank | and | the hospital | .

→ _____

05 Mina(미나)의 생일은 1월 22일이다.

| Mina's birthday | is | January 22nd | .

→ _____

06 그 가게는 오전 10시에 연다.

| The store | opens | 10 a.m. | .

→ _____

단어 따라 쓰기 연습지

단어 따라 쓰기 연습지로 **초등 필수 영단어까지 한 번에!**

일러두기 ☑ 교재에 등장한 교육부 지정 초등 필수 영단어를 모두 정리했어요.
☑ 셀 수 있는 명사의 복수형, 동사의 3인칭 단수형까지 함께 공부할 수 있어요.

CHAPTER 1 | 다음 단어의 뜻을 확인하고, 세 번씩 따라 써보세요.

UNIT 1

1	**know** (knows)	알다	know know know
2	**watch** (watches)	손목시계; 보다	
3	**friend** (friends)	친구	
4	**teacher** (teachers)	선생님	
5	**have** (has)	가지고 있다; 먹다	
6	**brother** (brothers)	형, 오빠, 남동생	
7	**twin** (twins)	쌍둥이	
8	**bike** (bikes)	자전거	
9	**love** (loves)	사랑; 사랑하다, 매우 좋아하다	
10	**cookie** (cookies)	쿠키	
11	**want** (wants)	원하다, 바라다	
12	**chocolate**	초콜릿	
13	**cake** (cakes)	케이크 한 개	

14	**neighbor** (neighbors)	이웃	
15	**artist** (artists)	화가, 예술가	
16	**person** (people)	사람	
17	**need** (needs)	필요하다	
18	**heavy**	무거운	
19	**parents**	부모님	
20	**visit** (visits)	방문하다	
21	**busy**	바쁜	
22	**man** (men)	(성인) 남자	
23	**play** (plays)	(게임 등을)하다; 놀다; 연주하다	
24	**soccer**	축구	
25	**miss** (misses)	그리워하다	
26	**grandma** (grandmas)	할머니	
27	**tall**	키가 큰	
28	**zebra** (zebras)	얼룩말	
29	**run** (runs)	달리다, 뛰다	
30	**cat** (cats)	고양이	
31	**boy** (boys)	남자아이	
32	**book** (books)	책	
33	**popular**	인기 있는	

34 **Korean**	한국의; 한국어	
35 **food**	음식	
36 **remember** (remembers)	기억하다	
37 **help** (helps)	돕다	
38 **teach** (teaches)	가르치다	
39 **math**	수학	
40 **movie** (movies)	영화	
41 **fun**	재미있는	
42 **car** (cars)	자동차	
43 **wash** (washes)	씻다	

UNIT 2

1 **bag** (bags)	가방	
2 **pencil** (pencils)	연필	
3 **house** (houses)	집	
4 **school**	학교	
5 **name** (names)	이름	
6 **child** (children)	아이	
7 **idea** (ideas)	생각, 아이디어	
8 **great**	정말 좋은; 멋진; 대단한	

9	**cousin** (cousins)	사촌
10	**fur**	(일부 동물의) 털
11	**soft**	부드러운
12	**brown**	갈색의; 갈색
13	**jacket** (jackets)	재킷
14	**song** (songs)	노래
15	**father** (fathers)	아버지
16	**writer** (writers)	작가
17	**voice**	목소리
18	**beautiful**	아름다운
19	**computer** (computers)	컴퓨터
20	**eye** (eyes)	눈
21	**blue**	파란색의; 파란색
22	**scissors**	가위
23	**clean** (cleans)	깨끗한; 청소하다
24	**necklace** (necklaces)	목걸이
25	**ear** (ears)	귀
26	**big**	큰
27	**soccer ball** (soccer balls)	축구공
28	**gift** (gifts)	선물

29	**color** (colors)	색깔
30	**garden** (gardens)	정원
31	**jeans**	청바지
32	**story** (stories)	이야기
33	**glasses**	안경
34	**table** (tables)	탁자, 테이블
35	**yellow**	노란색의; 노란색
36	**nose** (noses)	코
37	**long**	(길이가) 긴
38	**English**	영어
39	**shoes**	신발
40	**uncle** (uncles)	삼촌, 고모부, 이모부
41	**hand** (hands)	손
42	**dirty**	더러운
43	**ticket** (tickets)	표, 티켓

UNIT 3

1	**basketball** (basketballs)	농구공
2	**kite** (kites)	연
3	**building** (buildings)	건물, 빌딩

4	**desk** (desks)	책상
5	**river** (rivers)	강
6	**umbrella** (umbrellas)	우산
7	**classmate** (classmates)	반 친구
8	**gloves**	장갑
9	**museum** (museums)	박물관
10	**notebook** (notebooks)	공책
11	**suitcase** (suitcases)	여행 가방
12	**nurse** (nurses)	간호사
13	**vegetable** (vegetables)	채소, 야채
14	**basketball player** (basketball players)	농구 선수
15	**turtle** (turtles)	거북
16	**dog** (dogs)	개
17	**dad** (dads)	아빠
18	**box** (boxes)	상자
19	**hospital** (hospitals)	병원
20	**toothbrush** (toothbrushes)	칫솔

1	**horse** (horses)	말
2	**aunt** (aunts)	이모, 고모, 숙모
3	**flower** (flowers)	꽃
4	**shop** (shops)	가게, 상점
5	**look at** (looks at)	~을 보다
6	**puppy** (puppies)	강아지
7	**cute**	귀여운
8	**sister** (sisters)	여동생, 누나, 언니
9	**wear** (wears)	입고[쓰고, 신고] 있다
10	**socks**	양말
11	**wallet** (wallets)	지갑
12	**black**	검은색의; 검은색
13	**hat** (hats)	모자
14	**vet** (vets)	수의사
15	**pizza**	피자
16	**frog** (frogs)	개구리
17	**tulip** (tulips)	튤립
18	**son** (sons)	아들
19	**sweater** (sweaters)	스웨터

20	**gray**	회색의; 회색	
21	**room** (rooms)	방	
22	**sandwich** (sandwiches)	샌드위치	

CHAPTER 2	다음 단어의 뜻을 확인하고, 세 번씩 따라 써보세요.

UNIT 1

1	**new**	새, 새로운	
2	**police officer** (police officers)	경찰관	
3	**cook** (cooks)	요리사; 요리하다	
4	**doctor** (doctors)	의사	
5	**dish** (dishes)	접시	
6	**singer** (singers)	가수	
7	**milk**	우유	
8	**cold**	차가운, 추운	
9	**cup** (cups)	컵	
10	**designer** (designers)	디자이너	
11	**baker** (bakers)	제빵사	
12	**old**	낡은, 오래된; 늙은	
13	**fresh**	신선한	

14	**dentist** (dentists)	치과 의사	
15	**drawer** (drawers)	서랍	
16	**eraser** (erasers)	지우개	
17	**theater** (theaters)	영화관	
18	**lawyer** (lawyers)	변호사	
19	**expensive**	비싼, 돈이 많이 드는	

UNIT 2

1	**live** (lives)	살다	
2	**Seoul**	서울	
3	**work** (works)	일하다	
4	**zoo** (zoos)	동물원	
5	**eat** (eats)	먹다	
6	**breakfast**	아침식사	
7	**every day**	매일	
8	**go to bed** (goes to bed)	잠자리에 들다	
9	**in the morning**	아침에	
10	**Sunday**	일요일	
11	**after school**	방과 후에	
12	**read** (reads)	읽다	

13	**do** (does)	(어떤 동작을) 하다
14	**pass** (passes)	패스하다; 건네주다
15	**fix** (fixes)	고치다
16	**cry** (cries)	울다
17	**fly** (flies)	날다
18	**study** (studies)	공부하다
19	**walk** (walks)	걷다
20	**kid** (kids)	아이
21	**magazine** (magazines)	잡지
22	**student** (students)	학생
23	**art**	미술; 예술
24	**class** (classes)	수업
25	**science**	과학
26	**baby** (babies)	아기
27	**brush** (brushes)	빗질하다; 붓, 솔
28	**hair**	머리카락, 털
29	**library** (libraries)	도서관
30	**lunch**	점심식사
31	**take a walk** (takes a walk)	산책하다
32	**grandmother** (grandmothers)	할머니

33	**TV**(= television) (TVs)	텔레비전, TV
34	**tennis**	테니스
35	**bake** (bakes)	굽다
36	**violin** (violins)	바이올린
37	**wash the dishes** (washes the dishes)	설거지를 하다
38	**get up** (gets up)	일어나다
39	**o'clock**	~시 (정각)
40	**do one's homework** (does one's homework)	숙제를 하다
41	**history**	역사
42	**enjoy** (enjoys)	즐기다
43	**Busan**	부산
44	**mom** (moms)	엄마
45	**news**	뉴스
46	**bird** (birds)	새
47	**sky**	하늘

UNIT 3

1	**take a bus** (takes a bus)	버스를 타다
2	**candy** (candies)	사탕
3	**girl** (girls)	여자아이

4	**speak** (speaks)	말하다	
5	**Japanese**	일본어	
6	**game** (games)	게임	
7	**test** (tests)	시험	
8	**today**	오늘	
9	**gym** (gyms)	체육관	
10	**New York**	뉴욕《미국의 주, 도시》	
11	**come** (comes)	오다	
12	**home**	집에	
13	**tomato** (tomatoes)	토마토	
14	**music**	음악	
15	**ice cream**	아이스크림	
16	**French**	프랑스어	
17	**tooth** (teeth)	이, 치아	
18	**bookstore** (bookstores)	서점	
19	**board game** (board games)	보드게임	

CH 2 | EXERCISE + REVIEW (CH1-2)

1	**neck** (necks)	목	
2	**stay** (stays)	계속 있다, 머무르다	

3	**scientist** (scientists)	과학자
4	**reporter** (reporters)	기자, 리포터
5	**elephant** (elephants)	코끼리
6	**small**	작은
7	**ring** (rings)	반지
8	**woman** (women)	(성인) 여자
9	**golf**	골프
10	**meat**	고기
11	**thirsty**	목마른
12	**classroom** (classrooms)	교실
13	**apple** (apples)	사과
14	**sweet**	달콤한, 단
15	**painter** (painters)	화가
16	**city** (cities)	도시
17	**firefighter** (firefighters)	소방관
18	**pilot** (pilots)	비행기 조종사
19	**finish** (finishes)	끝내다, 마치다
20	**boring**	재미없는, 지루한
21	**bathroom** (bathrooms)	화장실
22	**red**	빨간색의; 빨간색

23	**plane** (planes)	비행기	
24	**camera** (cameras)	카메라	
25	**koala** (koalas)	코알라	

CHAPTER 3 | 다음 단어의 뜻을 확인하고, 세 번씩 따라 써보세요.

UNIT 1

1	**dance** (dances)	춤추다	
2	**make** (makes)	만들다	
3	**sit** (sits)	앉다, 앉아 있다	
4	**cut** (cuts)	자르다, 깎다	
5	**win** (wins)	이기다	
6	**swim** (swims)	수영하다	
7	**buy** (buys)	사다, 구입하다	
8	**move** (moves)	움직이다, 옮기다	
9	**draw** (draws)	그리다	
10	**ride** (rides)	타다	
11	**drive** (drives)	운전하다	
12	**grass**	잔디, 풀	
13	**team** (teams)	팀, 단체	

14	**drink** (drink**s**)	마시다	
15	**coffee**	커피	
16	**park** (park**s**)	공원	
17	**boots**	부츠	
18	**now**	지금	
19	**bench** (bench**es**)	벤치	
20	**write** (write**s**)	쓰다	
21	**letter** (letter**s**)	편지	
22	**take a picture** (take**s** a picture)	사진을 찍다	
23	**hold** (hold**s**)	잡고 있다	
24	**balloon** (balloon**s**)	풍선	
25	**sing** (sing**s**)	노래하다	
26	**bee** (bee**s**)	벌	

UNIT 2

1	**dinner**	저녁식사	
2	**smile** (smile**s**)	미소짓다	
3	**paper**	종이	
4	**snowman** (snow**men**)	눈사람	
5	**take a shower** (take**s** a shower)	샤워를 하다	

6	**seat belt** (seat belts)	안전벨트
7	**mother** (mothers)	어머니
8	**pool** (pools)	수영장
9	**flute** (flutes)	플루트
10	**drum** (drums)	드럼, 북
11	**carrot** (carrots)	당근
12	**leaf** (leaves)	잎
13	**carry** (carries)	나르다, 들고 있다
14	**basket** (baskets)	바구니
15	**hide** (hides)	숨다
16	**bread**	빵
17	**sofa** (sofas)	소파
18	**pie** (pies)	파이
19	**climb** (climbs)	오르다, 올라가다
20	**mountain** (mountains)	산
21	**newspaper** (newspapers)	신문
22	**use** (uses)	사용하다, 이용하다

CH 3 | EXERCISE + REVIEW (CH2-3)

1	**get** (gets)	받다; 구하다

2	**ask** (asks)	묻다	
3	**put** (puts)	놓다, 두다	
4	**playground** (playgrounds)	놀이터	
5	**badminton**	배드민턴	
6	**comic book** (comic books)	만화책	
7	**bark** (barks)	짖다	
8	**sea**	바다	
9	**sheep** (sheep)	양	
10	**sleep** (sleeps)	자다	
11	**map** (maps)	지도	
12	**fall** (falls)	떨어지다; 넘어지다	
13	**clothes**	옷	
14	**street** (streets)	거리	
15	**brush one's teeth** (brushes one's teeth)	이를 닦다	
16	**bug** (bugs)	벌레	
17	**kitchen** (kitchens)	부엌	
18	**water**	물	

UNIT 1

1	**year** (years)	~살, 나이; 해, 년	
2	**old**	나이가 ~인	
3	**floor** (floors)	층; 바닥	
4	**grade** (grades)	학년	
5	**leg** (legs)	다리	
6	**birthday** (birthdays)	생일	
7	**dollar** (dollars)	달러 《미국의 화폐 단위》	
8	**question** (questions)	질문	
9	**day** (days)	날; 하루; 요일	
10	**egg** (eggs)	달걀	
11	**month** (months)	(한 달의 기간을 나타내는) 달	
12	**spider** (spiders)	거미	

UNIT 2

1	**cent** (cents)	센트 《1달러의 1/100》	
2	**half**	반 시간, 30분	
3	**past**	(시간이) ~지나서	

4	**a.m.**	오전	
5	**p.m.**	오후	
6	**Children's day**	어린이날	
7	**open** (opens)	열다	
8	**make** (makes)	(계산하면) ~이다 [~와 같다]	
9	**next**	다음의	
10	**number** (numbers)	숫자	

UNIT 3

1	**weather**	날씨	
2	**hot**	더운	
3	**time**	시간	
4	**date**	날짜	
5	**far**	먼	
6	**kilometer** (kilometers)	킬로미터 《1,000미터》	
7	**sunny**	화창한	
8	**cloudy**	흐린, 구름이 많은	
9	**rainy**	비가 오는	
10	**snowy**	눈이 오는	
11	**warm**	따뜻한	

12	windy	바람이 부는
13	Monday	월요일
14	Tuesday	화요일
15	Wednesday	수요일
16	Thursday	목요일
17	Friday	금요일
18	Saturday	토요일
19	Sunday	일요일
20	January	1월
21	February	2월
22	March	3월
23	April	4월
24	May	5월
25	June	6월
26	July	7월
27	August	8월
28	September	9월
29	October	10월
30	November	11월
31	December	12월

32	**favorite**	가장 좋아하는	
33	**here**	여기에	

CH 4 | EXERCISE + REVIEW (CH3-4)

1	**soldier** (soldiers)	군인	
2	**meter** (meters)	미터	
3	**e-mail** (e-mails)	이메일	
4	**meet** (meets)	만나다	
5	**daughter** (daughters)	딸	
6	**listen** (listens)	듣다	

| CHAPTER 5 | 다음 단어의 뜻을 확인하고, 세 번씩 따라 써보세요.

UNIT 1

1	**concert** (concerts)	콘서트, 연주회	
2	**sports**	스포츠	
3	**bus stop** (bus stops)	버스 정류장	
4	**scarf** (scarves)	스카프, 목도리	
5	**job** (jobs)	일, 직장; 직업	
6	**best friend** (best friends)	가장 친한 친구	

7	**calendar** (calendar**s**)	달력	
8	**nice**	좋은, 멋진; 친절한	
9	**party** (part**ies**)	파티	
10	**fine**	괜찮은, 좋은	

UNIT 2

1	**bus** (bus**es**)	버스	
2	**learn** (learn**s**)	배우다	
3	**beach** (beach**es**)	해변	
4	**pasta**	파스타	
5	**exercise** (exercise**s**)	운동하다	
6	**robot** (robot**s**)	로봇	
7	**begin** (begin**s**)	시작하다	
8	**store** (store**s**)	가게, 상점	

UNIT 3

1	**green**	초록색의; 초록색	
2	**cap** (cap**s**)	야구모자	
3	**much**	(양이) 많은; 많음	
4	**blanket** (blanket**s**)	담요	

5	**textbook** (textbook s)	교과서	
6	**tube** (tube s)	튜브	
7	**helmet** (helmet s)	헬멧	
8	**pencil case** (pencil case s)	필통	

1	**chair** (chair s)	의자	
2	**office** (office s)	사무실	

CHAPTER 6 | 다음 단어의 뜻을 확인하고, 세 번씩 따라 써보세요.

UNIT 1

1	**sleepy**	졸린	
2	**short**	(길이가) 짧은; 키가 작은	
3	**easy**	쉬운	
4	**many**	(수가) 많은	
5	**money**	돈	
6	**homework**	숙제	
7	**soda**	탄산음료	
8	**rabbit** (rabbit s)	토끼	

9	large	(규모가) 큰, (양이) 많은	
10	difficult	어려운	
11	delicious	맛있는	
12	hamburger (hamburgers)	햄버거	
13	plan (plans)	계획	
14	butter	버터	
15	interesting	재미있는, 흥미로운	
16	window (windows)	창문	
17	sugar	설탕	

UNIT 2

1	very	매우	
2	happy	행복한	
3	happily	행복하게	
4	hard	어려운, 딱딱한; 열심히	
5	really	정말로	
6	good	좋은	
7	well	잘	
8	slowly	느리게	
9	slow	느린	
10	fast	빠른; 빠르게	

11	**quiet**	조용한
12	**quietly**	조용하게
13	**easily**	쉽게
14	**early**	이른; 일찍
15	**late**	늦은; 늦게
16	**high**	높은; 높게
17	**loud**	시끄러운, 큰
18	**loudly**	큰 소리로; 소란하게
19	**safely**	안전하게
20	**taxi driver** (taxi drivers)	택시 운전사
21	**dangerous**	위험한
22	**dangerously**	위험하게
23	**bright**	밝은
24	**brightly**	밝게
25	**kind**	친절한
26	**kindly**	친절하게
27	**sad**	슬픈
28	**sadly**	슬프게
29	**lucky**	운 좋은
30	**luckily**	운 좋게
31	**tree** (trees)	나무

32	snow	눈	
33	moon	달	
34	shine (shines)	빛나다	
35	beautifully	아름답게	
36	close (closes)	닫다	
37	airplane (airplanes)	비행기	
38	softly	부드럽게	
39	solve (solves)	풀다	
40	puzzle (puzzles)	퍼즐	

CH 6 | EXERCISE + REVIEW (CH5-6)

1	lately	최근에, 얼마 전에	
2	busily	바쁘게	
3	nicely	멋지게; 친절하게	
4	strawberry (strawberries)	딸기	
5	kangaroo (kangaroos)	캥거루	
6	jump (jumps)	뛰다, 점프하다	
7	careful	조심하는, 주의깊은	
8	carefully	조심스럽게, 주의하여	
9	farmer (farmers)	농부	
10	smart	똑똑한	

11	**handsome**	멋진, 잘생긴	
12	**shirt** (shirts)	셔츠	
13	**boat** (boats)	보트	
14	**comic**	만화	
15	**safe**	안전한	
16	**place** (places)	장소, 곳	
17	**gas**	휘발유; 가스	
18	**actor** (actors)	배우	
19	**sell** (sells)	팔다	
20	**factory** (factories)	공장	
21	**honey**	꿀	
22	**piano** (pianos)	피아노	
23	**start** (starts)	시작하다	

| CHAPTER 7 | 다음 단어의 뜻을 확인하고, 세 번씩 따라 써보세요.

UNIT 1

1	**log** (logs)	통나무	
2	**under**	~ 아래에	
3	**in front of**	~ 앞에	
4	**behind**	~ 뒤에	

5	**next to**	~ 옆에
6	**between A and B**	A와 B 사이에
7	**hen** (hens)	암탉
8	**bakery** (bakeries)	빵집, 제과점
9	**station** (stations)	(기차)역, 정거장
10	**truck** (trucks)	트럭
11	**bookshelf** (bookshelves)	책꽂이, 책장
12	**cellphone** (cellphones)	휴대폰
13	**wait** (waits)	기다리다
14	**bank** (banks)	은행
15	**penguin** (penguins)	펭귄
16	**stand** (stands)	서다, 서 있다
17	**igloo** (igloos)	이글루
18	**door** (doors)	문
19	**dress** (dresses)	드레스, 원피스
20	**shopping bag** (shopping bags)	쇼핑백, 장바구니
21	**Sydney**	시드니 《호주의 도시》
22	**rug** (rugs)	깔개, 양탄자
23	**bridge** (bridges)	다리
24	**flow** (flows)	흐르다
25	**mirror** (mirrors)	거울

1	winter	겨울	
2	at noon	정오(낮 12시)에	
3	in the afternoon	오후에	
4	in the evening	저녁에	
5	at night	밤에	
6	at midnight	자정(밤 12시)에	
7	summer	여름	
8	New Year's Day	새해 첫 날	
9	festival (festivals)	축제	
10	Christmas Day	성탄절	
11	go camping (goes camping)	캠핑 가다	

CH 7 | EXERCISE + REVIEW (CH6-7)

1	slipper (slippers)	실내화	
2	mall (malls)	쇼핑 몰	
3	do yoga (does yoga)	요가를 하다	
4	cage (cages)	새장, 우리	
5	China	중국	
6	taxi (taxis)	택시	
7	London	런던 《영국의 수도》	

1	**button** (buttons)	버튼, 단추
2	**push** (pushes)	누르다
3	**so**	매우, 아주
4	**outside**	밖에
5	**there**	거기에
6	**hardly**	거의 ~ 아니다
7	**Chinese**	중국어; 중국의
8	**restaurant** (restaurants)	식당, 레스토랑
9	**doll** (dolls)	인형
10	**pretty**	예쁜
11	**wake up** (wakes up)	(잠에서) 깨다, 일어나다
12	**bicycle** (bicycles)	자전거